D1107257

麦田精选图画书　三个小偷的越狱大作战

在笑声中看自由的可能与不可能

少年儿童出版社

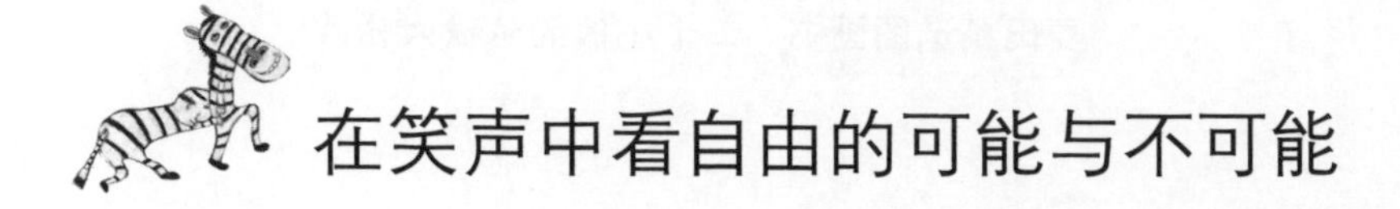

在笑声中看自由的可能与不可能

图画书作者、亲子阅读推广人 戴芸

越狱？什么是越狱？

就是从监狱里逃出来。

监狱是干吗的？

监狱是关犯人的。

犯人是什么人？

犯人就是干了坏事、违反了法律的人，他们要被关起来，受到惩罚。

那他们关在监狱里做什么？

干活，吃饭，睡觉。

那不是跟我们一样？

但是他们没有自由。

自由？

自由。

这么说来，《三个小偷的越狱大作战》是一个关于自由的故事。一个追求自由，但求而不得的故事。

对于孩子们来说，这本书的好首先是好在它的一波三折。在这样小的篇幅里面，作者可以游刃有余地兜兜转转，一次次带给孩子们悬念和惊喜，自如地在可能与不可能之间来回奔跑，一会儿柳暗花明，一会儿头破血流。我们在读这本书的时候，可以引导孩子们站在小偷们的立场想一想："这样能行吗？这下好了吧？下面还会怎么样……"他们一开始可能会遵循传统的思维模式回答说："人扮成斑马？怎么可能？"当他们的"不可能"遭到书中"可能"的挑战，惊喜就产生了；然后某些聪明的小人儿很快就可以学到作者的那套逻辑，猜到扮老虎这招一定是可行的，当他们的猜想得到印证，他们就获得了满足感。但是，还没等这个满足感尘埃落定，故事一个转身，又朝着另一个意想不到的方向走下去了……这种对孩子们期望的牵拉，正是阅读的乐趣所在。

作者实现这些转折的法宝是什么呢？那就是孩子们特别受用的一招：荒诞。你没法儿用“合理”来要求这个故事。它用各种不合理搭建出一个让你点头称是的结论，就像现在没有人质疑卡夫卡：一个人怎么可能在一夜之间变成甲虫呢？相反，我们会顺着他的假设往下想：如果人在一夜之间变成了甲虫，那会怎么样呢？“多荒诞才是太荒诞？”这是童话创作里永远的辩论题之一，而我觉得最基本的标准就是这种荒诞是否影响到儿童对故事的认可。儿童对荒诞的接受程度往往令成人目瞪口呆，不怕他受不了，就怕你想不到。作者穗高顺也设计的荒诞情节，令孩子们感到自由和快乐；而我们作为父母，也可以看到这些夸张背后的寓言。这是这个故事第二个可爱的地方。

接下来，要说这个故事的绘者西村敏雄。他说：“我创作绘本的关键词就是‘幽默’。笑可以成为生存的力量。”所以，一个可以演绎成《变形记》一般沉重深刻的故事，就变成了我们现在看到的样子。小偷们的虎头马面配合着他们不靠谱的名字“糟糕”、“不留神”和“糊涂虫”，极大地弱化了他们本来的罪犯身份，让我们觉得他们就是几个稀里糊涂犯了错的小孩，被妈妈禁足，还要面壁思过，所以就生出来一些奇思妙想，想要跑出去玩。结果发生意外，又被抓了回来，这下可能要关小黑屋了！游戏感令“变成动物被永久关进动物园”这样本来极其灰暗的结果，变得轻盈了起来，使这个故事更适合儿童阅读。

阅读是一辈子的事，道理也要一个一个慢慢明白，所以对于在阅读这条道路上刚刚起步的孩子们来说，一本书能教给他们多少东西也许不是最重要的事。关键是读完这本书，他们是否觉得阅读是如此美好，并因此愿意去读更多的书。

相信这本把关于自由的哲思包裹在曲折的情节和荒诞的笑声里的《三个小偷的越狱大作战》，可以让孩子们觉得读书是好玩有趣的事情；而如果你家刚好有个爱提问、好思辨的小哲学家，这个故事也提供了足够的空间让你们畅谈自由的相对性、罪与罚、想象力的重要、尝试的意义与风险等等。一家人可以一起笑，一起思考，多好。

作者介绍

穗高顺也

1969年出生于日本爱知县，著名儿童文学作家。曾在幼儿园工作，并因此产生创作童话故事的想法。其他作品有《猴子老师和蛇护士》《莫加爷爷来了！》《我的郊游》《我可不怕打针！》等。

西村敏雄

1964年出生于日本爱知县，东京造型大学美术设计科毕业。曾从事室内装潢和纺织品设计等工作，之后开始绘本创作。擅长以幽默的画风和故事抓住孩子的心。2001年获得日本第一届童画大奖最优秀奖。其他作品有《巴鲁巴鲁先生》《森林里的露天浴》《动物杂技要开始了》《玛洛阿姨的儿子们》《喔喔喔》《颠倒词语运动会》《红薯红薯挖呀挖》等。

三个小偷的越狱大作战

[日]穗高顺也 文 [日]西村敏雄 图 流 星 译

少年儿童出版社

冰冷的铁栅栏围住的牢房里，关着三个小偷。
他们有自己的代号。
1 号叫糟糕，2 号叫不留神，3 号叫糊涂虫。

在牢房里，三个小偷不仅没有自由，而且还经常要干体力活。

“啊，我多想在广阔的原野上美美地睡上一整天。”糟糕说。

“我想到处走走，到没去过的国家看看。”不留神说。

“啊啊，我想吃好吃的面包，喝好喝的汤，一直吃到肚子撑。”糊涂虫说。

“好，我们大家齐心协力，从这里逃出去！”
“嗨！越狱行动开始啦！”

No.1
∫
No.3

但是，为了防止小偷逃跑，牢房里有看守。

三人商量着用什么方法可以骗过看守，从牢房里逃出去。

这时，糟糕想出一个好主意。他对不留神说：“哎，不留神，你手很巧……这样这样……而且正巧我们又穿着条纹的衣服……这样这样……”

“就用这个，把我俩变成斑马！”糟糕让不留神用油漆在他脸上涂颜色，“如果牢房里有斑马出现，看守一定会非常吃惊，然后就乖乖地把牢房的钥匙交出来了。”
“你抓住我的腰。”糟糕对不留神说，“嘿！这样我们俩无论怎么看，都是斑马。”
但是，糊涂虫看了以后，笑得眼泪都出来了。他对糟糕和不留神说：“世上哪有这么奇怪的斑马啊，这个越狱计划一定失败。”

1
2

糟糕和不留神还是按原计划把自己装扮成了斑马。

♪ 咴咴，咴咴。
马儿咴咴。
哒哒，哒哒。
咴咴，嘿儿，咴咴。

两人在牢房里学着斑马的样子，哒哒、哒哒地来回走。
结果，看守飞奔过来了。
“啊，这种地方斑马是怎么跑进来的？这里可不是您待的地方啊。”

看守说完，就打开牢房的大门，把装扮成斑马的两人放走了。

糊涂虫在一旁吃惊得合不拢嘴。
他自言自语道：“早知道这样的越狱计划也能成功的话，我也跟着他们一起就好了。”
可后悔已经来不及了，而且现在只剩他一个人，就是想扮斑马也不可能了。
“怎么办呢？”
糊涂虫两手一叉，苦苦思索起来。
接着……

“他们扮成斑马的话，那我就扮成老虎！”
糊涂虫把囚衣的白色部分都涂成了黄色。
不一会儿，他就把自己装扮成了一只大老虎。
“嗷呜——嗷呜——老虎来了！嗷呜——”
“我是老虎，老虎来啦，嗷呜——”
糊涂虫学着老虎的样子，不停地发出可怕的吼叫声。

看守听到声音，不知道发生了什么事，赶紧跑了过来。
他看到装扮成老虎的糊涂虫，马上惊叫起来："妈呀——救命——是老虎！"
看守连滚带爬，一溜烟似的逃跑了。
就这样，糊涂虫扮成老虎的样子离开了牢房。

NO.4
～
NO.6

“嗷呜——”
糊涂虫装成老虎的样子，在路上走着。
走着走着，他的肚子咕噜咕噜地响起来。可是不知为什么，在牢里那么想吃的面包、南瓜汤，现在却一点儿也不想吃。
“我要吃带血的牛排，嗷呜——”糊涂虫一边吼叫一边摇头晃脑，“对！我要吃肉，生的肉，大口大口地吃。”
说着说着，他看到远处有一样好吃的东西。
“决不能让它逃了！”
糊涂虫朝着那个好吃的东西飞奔过去。然后——

“啊呜！”
糊涂虫一口咬住了斑马的屁股。
“咴咴。”
斑马疼得一阵惨叫。

可是，糊涂虫仔细一看，发现咬的不是斑马，而是装扮成斑马的不留神。

“啊，原来是你们。吓我一大跳。你们想装斑马装到什么时候啊？”

“他一直拉着我不放。”糟糕指着不留神说。

“我也想松手，可是我的手粘在他的腰上了，怎么也拿不开。”不留神委屈地说。

糟糕问糊涂虫：“你又是怎么回事呀？”

“你们走了以后，我学你们的样，装扮成老虎，也逃了出来。但是，渐渐地我习惯了同时用脚和手走路，这样走起来更舒服。”糊涂虫说。

然后，他们互相看了看，点点头表示同意。

“我们好像真的变成老虎和斑马了。”

这时候，来了一辆卡车。
卡车上的人把老虎和斑马抓进卡车里带走了。
这下，被吓坏的村民们心里的石头才落了地。

MAL
UCK
ANIM
TRU

老虎

卡车直接开到了动物园。

就这样，变成了老虎和斑马的三个小偷，一直待在动物园狭窄的笼子里，做着在牢外过自由自在日子的美梦。

结束。

图书在版编目(CIP)数据
三个小偷的越狱大作战 / (日)穗高顺也文，(日)西村敏雄图；流星译.—上海：少年儿童出版社，2020.1
（麦田精选图画书）
ISBN 978-7-5589-0718-0

Ⅰ.①三… Ⅱ.①穗…②西…③流… Ⅲ.①儿童故事-图画故事-日本-现代Ⅳ.①I313.85
中国版本图书馆CIP数据核字（2019）第217156号

著作权合同登记号 图字：09-2019-601

三个小偷的越狱大作战

[日]穗高顺也 文
[日]西村敏雄 图
流 星 译

责任编辑 周 婷 陈裕华 美术编辑 钱 黎
责任校对 沈丽蓉 技术编辑 吴铁伟

出版发行 少年儿童出版社
地址 200052 上海延安西路1538号
易文网 www.ewen.co 少儿网 www.jcph.com
电子邮件 postmaster@jcph.com

印刷 上海中华商务联合印刷有限公司
开本 889×1194 1/16 印张 2
2020年1月第1版第1次印刷
ISBN 978-7-5589-0718-0/I・4503
定价32.80元